Moli a Meg

mynd am dro ... i'r gampfa

Christa Richardson

© CAA Cymru 2020
CAA Cymru – un o frandiau Atebol

Argraffwyd yn wreiddiol yn 2018
Argraffwyd yr argraffiad newydd cyntaf yn 2020
Ail argraffwyd yn 2021

Cyhoeddwyd yng Nghymru yn 2021 gan CAA Cymru, Adeiladau'r Fagwyr, Llanfihangel Genau'r Glyn, Aberystwyth, Ceredigion SY24 5AQ

Ariennir yn rhannol gan Lywodraeth Cymru fel rhan o'i rhaglen gomisiynu adnoddau addysgu a dysgu Cymraeg a dwyieithog

Mae hawlfraint ar y deunyddiau hyn. Ni chaniateir atgynhyrchu unrhyw ran o'r cyhoeddiad hwn na'i throsglwyddo ar unrhyw ffurf neu drwy unrhyw fodd, electronig neu fecanyddol, gan gynnwys llungopïo, recordio neu drwy gyfrwng unrhyw system storio ac adfer, heb ganiatâd ysgrifenedig ymlaen llaw gan y cyhoeddwr neu drwydded sy'n caniatáu copïo cyfyngedig yn y Deyrnas Unedig gan y *Copyright Licensing Agency (CLA)*. Am fanylion pellach am Drwydded Addysg CLA ewch i www.educationplatform.co.uk neu www.cla.co.uk. Gallwch hefyd anfon e-bost at education.customers@cla.co.uk

Cedwir pob hawl

Argraffwyd a rhwymwyd yng Nghymru gan Argraffwyr Cambria, Aberystwyth

ISBN: 978-1-84521-634-4

Mae cofnod catalog ar gyfer y cyhoeddiad hwn ar gael yn Llyfrgell Genedlaethol Cymru a'r Llyfrgell Brydeinig

Cydnabyddiaethau
Diolch i Sarah Davies, Chloe Edwards, Siân Pryce Edwards a Sharon Jones am eu harweiniad gwerthfawr

www.atebol.com

Dyma Moli.

Dyma Meg.

Mae Moli a Meg yn ffrindiau da.

Mae Moli a Meg yn mynd i'r gampfa i gadw'n heini.

Mae Meg yn rhedeg.
Mae Meg yn rhedeg ar hyd y trac.

Mae Moli yn rholio.
Mae Moli yn rholio ar y mat.

Mae Moli a Meg wedi blino'n lân!

Mae Moli a Meg yn hoffi mynd i'r gampfa.

Hwyl fawr, Moli!
Hwyl fawr, Meg!

Hwyl fawr, Moli!
Hwyl fawr, Meg!

Mae Moli a Meg yn hoffi mynd i'r caffi.

Mae Moli yn hoffi hufen iâ.

Mae Meg yn hoffi tatws a selsig.

Mmm! Tatws a selsig i Meg.

Mae Moli a Meg yn mynd i'r caffi.

Mae Moli a Meg yn ffrindiau da.

Dyma Meg.

Dyma Moli.

© CAA Cymru 2020
CAA Cymru – un o frandiau Atebol

Argraffwyd yn wreiddiol yn 2018
Argraffwyd yr argraffiad newydd cyntaf yn 2020
Ail argraffwyd yn 2021

Cyhoeddwyd yng Nghymru yn 2021 gan CAA Cymru, Adeiladau'r Fagwyr, Llanfihangel Genau'r Glyn, Aberystwyth, Ceredigion SY24 5AQ

Ariennir yn rhannol gan Lywodraeth Cymru fel rhan o'i rhaglen gomisiynu adnoddau addysgu a dysgu Cymraeg a dwyieithog

Mae hawlfraint ar y deunyddiau hyn. Ni chaniateir atgynhyrchu unrhyw ran o'r cyhoeddiad hwn na'i throsglwyddo ar unrhyw ffurf neu drwy unrhyw fodd, electronig neu fecanyddol, gan gynnwys llungopïo, recordio neu drwy gyfrwng unrhyw system storio ac adfer, heb ganiatâd ysgrifenedig ymlaen llaw gan y cyhoeddwr neu drwydded sy'n caniatáu copïo cyfyngedig yn y Deyrnas Unedig gan y *Copyright Licensing Agency (CLA)*. Am fanylion pellach am Drwydded Addysg CLA ewch i www.educationplatform.co.uk neu www.cla.co.uk. Gallwch hefyd anfon e-bost at education.customers@cla.co.uk

Cedwir pob hawl

Argraffwyd a rhwymwyd yng Nghymru gan Argraffwyr Cambria, Aberystwyth

ISBN: 978-1-84521-631-3

Mae cofnod catalog ar gyfer y cyhoeddiad hwn ar gael yn Llyfrgell Genedlaethol Cymru a'r Llyfrgell Brydeinig

Cydnabyddiaethau
Diolch i Sarah Davies, Chloe Edwards, Siân Pryce Edwards a Sharon Jones am eu harweiniad gwerthfawr

www.atebol.com

Moli a Meg

mynd am dro ... i'r caffi

Christa Richardson